中国风水第一城阆中古城,位于四川北部,嘉陵江中游。是人祖伏羲的孕育之地,城内有风水馆、张飞庙、贡院、天宫院、华光楼等著名景点。她与丽江古城、平遥古城、凤凰古城齐名。是中国颇具特色的旅游胜地。

阆苑仙境话生肖

摄影 潘明清

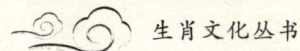 生肖文化丛书

生肖 你我她

SHENGXIAO NI WO TA 　　张瀚文　罗修德　著

解读你的运程
解读我的团队
解读她的姻缘

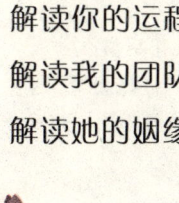

三秦出版社

图书在版编目（CIP）数据

阆苑仙境话生肖/张继军，罗修德著.—西安：三秦出版社，2009.9

（生肖文化丛书）

ISBN 978-7-80736-695-9

Ⅰ.阆... Ⅱ.①张... ②罗... Ⅲ.十二生肖-通俗读物 Ⅳ.K892.21-49

中国版本图书馆 CIP 数据核字（2009）第 168388 号

生肖文化丛书

生肖你我她——阆苑仙境话生肖

张继军　罗修德　著

出版发行	三秦出版社
	新华书店经销
社　　址	西安市北大街 147 号
发行电话	（029）87205106
垂询电话	（0817）6225777
邮政编码	710003
印　　刷	蓝田立新印务有限公司
开　　本	720×1000　1/32
印　　张	36
字　　数	66 千字
版　　次	2009 年 12 月第 2 版
	2009 年 12 月第 1 次印刷
印　　数	7001—12500 套
标准书号	ISBN 978-7-80736-695-9
单册定价	6.50 元
全套定价	**78.00 元**
网　　址	WWW.sqcbs.com

引 言

盛唐双奇袁天罡、李淳风晚年退隐于被称为人间仙境的四川阆中，常常一起谈风论水推测后世，并遗存有大量的天象和风水方面的书籍，尤以《推背图》久负盛名。这套小书是风水馆张瀚文馆长和罗修德风水大师根据这些遗存，经过多年的研究编写而成的。

阴历是世界上流传最久的历法。黄帝在位61年时，产生了一道十二官历法的首轮称为甲子，每一甲子为期60年，由5个分期构成，每个分期12年，我们称为五子运。每一年都以一个"动物符"作标记，我们称之为生肖。关于十二生肖源于何时及其排列，有各种传说，至今难以细考。这类故事，或似开心解闷的笑谈，或似贬恶扬善的寓言，文学成分较浓。

古代也有这样的传说，玉皇大帝99岁寿辰时，王母娘娘在阆苑仙境为他举行盛大的宴会，天上人间各路神仙纷纷前来贺寿，最先到来的动物神是老鼠，接着是牛、虎、兔、龙、蛇、马、羊、猴、鸡、狗、猪。玉皇大帝就按这些动物到来的先后顺序分别封以不同的年号，配以不同的时辰，作为对它们的赏赐。从此，"鼠咬天开"后的小老鼠就幸运地坐上了十二生肖的头把交椅，新一轮的五子运也从鼠年开始了。

代表生肖的动物符分别与自然界中的木、火、土、金、水五行相对应。五行又按磁场的正负极分为两极，即中国人所谓的阴和阳。

在阴历中，每天分为12更，每种动物符代表1更，昼始于子夜11时。阴历中的动物符对人的影响也是十分强烈的。属相中的12种动物分为阴阳两类。鼠、虎、龙、马、猴、狗属阳性,牛、兔、蛇、羊、鸡、猪属阴性。

12种动物属相除了其表示年的五行外,还有其固定的五行与季节对应。猪、鼠、牛为冬天,方位北方,季节色为蓝色,五行属水;虎、兔、龙为春天,方位东方,季节色为绿色,五行属木;蛇、马、羊为夏天,方位南方,季节色为红色,五行属火;猴、鸡、狗为秋天,方位西方,季节色为黄色,五行属金。

古代圣贤说,土生万物,因为它是金、木、水、火四行合一的象征,便不能与十二属相中任何动物相对应。有些算命人士指土为本行,从而以牛代水、龙代木、羊代火、狗代金。

在没有现代方法观测气象的时代,中国人便利用了阴历来预测雨雪到来的季节。时至今日,人们仍然相信阴历的真实可靠性。人们会发现,如果某年五行标志为水,那么这一年很可能会发生决堤或洪灾,这取决于阴阳两极哪个的影响力更强些。

你也许会对春季的第一天感兴趣，皇历中谈到，这一天鸡生的蛋能立起来，请你不妨试一试。如果有缘，你会见证的。阴历中春季到来的这一天称为"立春"，通常是阳历2月4日或5日。阴历节气是变化无常的，某些阴历年中也许会出现两次立春的情况，而某些阴历年根本不存在立春。中国的占卜者们称无立春之年为"盲年"，因为人们"看"不到春季的第一天。因此，在这样的年份里是忌讳娶亲的。

在这本小书中，你会发现、知晓深藏于你内心和他人内心深处的秘密。这样，你不仅会了解自己，而且还会知道你个人与事业的关系，知晓生活中会发生的事情。

同时这本小书能帮助你从另外一个角度观察自己，观察你宜与周围哪些人组成最好的朋友或团队，观察宜与哪个属相的人与你结合的婚姻是幸福美满的。它会使你理解主宰你的"狗"为什么会偶尔让你表现出急躁，属马的人易变、不安静特点的由来，以及为什么属龙的朋友会盛气凌人、花钱讲排场，还有蛇年出生的人为什么会有多疑的性格。你也许会吃惊地发现，有些工匠善于修理各种各样的东西，是因为他们出生于使他们聪明智慧的猴年。另外你还会看到那些动作迟缓、自信甚至保守的银行家们多是出生在充满自信的牛年。

也许这本书能让你进入理解命运和造化的神秘之门，甚至可以帮你作出重大决定。人生路上你会倾听蛇的机敏语言、寻求羊的温柔与同情心、获得猴的聪明智慧、共享马的快乐、欣赏兔的善交能力、用狗的忠诚交朋友、依靠虎的热情点燃生命之火、以鼠的勇于进取去完成伟业……

愿《生肖你我她》成为你为人处世的指南、美满婚姻的处方、幸福生活的源泉。

春

生肖\五子運	水運	火運	木運	金運	土運
豬	乙亥	丁亥	己亥	辛亥	癸亥
狗	甲戌	丙戌	戊戌	庚戌	壬戌
雞	癸酉	乙酉	丁酉	己酉	辛酉
猴	壬申	甲申	丙申	戊申	庚申
羊	辛未	癸未	乙未	丁未	己未
馬	庚午	壬午	甲午	丙午	戊午
蛇	己巳	辛巳	癸巳	乙巳	丁巳
龍	戊辰	庚辰	壬辰	甲辰	丙辰
兔	丁卯	己卯	辛卯	癸卯	乙卯
虎	丙寅	戊寅	庚寅	壬寅	甲寅
牛	乙丑	丁丑	己丑	辛丑	癸丑
鼠	甲子	丙子	戊子	庚子	壬子

冬　夏

秋

目 录

巳 蛇 …………………………………… 1

蛇 年 …………………………………… 3

属蛇人的性格 …………………………… 5

属蛇的儿童 ……………………………… 11

属蛇人的起名 …………………………… 14

属蛇人的五种类型 ……………………… 16

属蛇人与时辰的对应关系 ……………… 22

属蛇人在其他生肖年中的运程 ………… 35

属蛇人生月趣解 ………………………… 48

属蛇人生日趣解 ………………………… 52

属蛇人的姻缘 …………………………… 59

吉祥四季 平安一生 …………………… 84

阆中风水博物馆 ………………………… 86

巳 蛇
(圆明园十二生肖铜兽首)

蛇

我的智慧就是时代的智慧
打开生活奥秘的钥匙在我手中
把种子播在肥沃的土地上
我用坚定的意志滋润他们
我的志向不变
我的追求永恒
坚强、深刻、不屈不挠
我稳步向前毫不松懈
坚实的大地在我脚下
我是——蛇

蛇年

蛇年是思考的一年，适于订计划和寻求答案。这一年易做精明买卖，是从事政治活动的好时机。人们在行动以前要更加周密地策划仔细地思考。工商业在这一年会很吉利。矛盾可以达成妥协，但这不等于在最初没有相互不信任的问题。蛇年解决分歧的方法较为灵活，如果事情不能用和平的方式解决，那么就会以武力来解决。

　　追溯历史，我们发现蛇年从未平静过。也许是因为它在十二属相中是阴性最强的一个，并紧跟在十二属相中阳性最强的属相——龙的后面。龙年的许多灾难苗头在蛇年达到高峰。这两个属相关系密切，蛇年的灾难往往产生于龙年的暴行。

　　无论什么事情发生，属蛇人都会守信用。在他领导的时期，他会强制我们按他的命令去行动。这时不是两面派猖獗的时候。

属蛇人的性格

属蛇人可以成为哲学家、神学家、政治家和狡猾的金融家，也可能是最深刻的思想家，他是十二属相中不可思议的人物。由于具有天生的、特有的智慧，他还是一个天生的神秘主义者。文雅、斯文的属蛇人很爱读书，爱听名曲，爱吃美味食品，并且爱看戏剧。他被生活中所有美好的东西所吸引。最美的女子和个性最强的男子多出生在蛇年。所以如果你属蛇，你定会交好运。

　　像龙一样，蛇属相也象征着他的命运，他的一生或以凯旋结束或以悲剧告终。这一切由他的行动主宰。在他那老练的外表后面，隐藏着很重的疑心，尽管他否认这一点。其他属相的人也许愿意把欠款拖到下辈子偿还，但属蛇人似乎注定要在离开人世之前把账付清。也许他情愿这样,因为蛇年出生的人热情而认真,在他做的一切事情中,他都有意无意地试图清账。

从本性上讲,属蛇人疑心大,但他与属虎人不同,他把疑心隐藏在心中,把自己的秘密也隐藏在心里。

预言属蛇人会变成什么样子或他会发展到什么程度都是靠不住的,他那计算机式的头脑从未停止过策划,并且经久不衰。记住,他是十二属相中最顽强的属相。

在与他人的关系中,他表现出极强的占有欲,而且对别人的要求高。他对朋友持有某种程度上的不信任。他决不会原谅毁约的人。

当他被激怒时,他会恨得咬牙切齿,但他的敌对行为是悄然的,并积怨很深。他喜欢冰冷,用敌对情绪表达不满,而不是用辛辣的语言来表示。有一种属蛇人喜欢给他的敌人以致命的打击,将其彻底消灭。他的思维本身就是一种算计,并能等待时机成熟再图报复。

属蛇的女士本来就是美女蛇,她那冷静、

生肖 你我她

安详和无与伦比的美貌会把人迷住。她有信心并且泰然自若。

属蛇的人皮肤很好,不长丘疹,没有瑕疵,甚至在不注意皮肤保养的情况下也是如此。好像紧张情绪只能影响他的消化系统和神经系统,而对他外表影响很小。许多属蛇人容易死于胃溃疡或精神崩溃等,这些疾病都是由于抑郁而形成的。

蛇女士爱赶时髦,衣着合体。她很喜欢珠宝首饰,在挑选服饰时很精心。如果经济允许,她将买最好的、货真价实的钻石、珍珠、绿宝石、红宝石首饰。请不要送给她镀金或仿制的假玩意儿,她宁可不要你的礼物,也不稀罕假货。她不会用一文不值的假货来打扮自己。

同样,她选择朋友的标准也很高。她崇尚权力与金钱,如果她本身不具备这些条件,那么她会与一个有钱有势的人结婚。不管她的丈夫多么有权势,多么富有,只要和他结婚,她就会成为他最宝贵的财富。只要她的丈夫还有潜力,那么她会想尽办法使他获得成功。她会把自己装扮起来,做一个完美的女人,同时能够敏锐地给丈夫指出生活中的每一个机会。有这样的指导、献身和支持,他只能向上走,别无他路。

乐观的属蛇妇女不太关心两性之间的平等问题,她从不为妇女的权力问题而痛苦。当她很容易地诱使男人按她的旨意发展办事时,为什么还要去同他们竞争呢?对于女权问题,她只是思考而已。

你一定知道对付属蛇人绝不是一件轻而易举的事吧。最难对付的是他表里不一,在那安静的外表背后隐藏着一颗时刻警惕的心,并且他喜怒不形于色。在他准备行动之前,早已精心策划好了。他意志坚强,能够坚守阵地死而后已。蛇很狡猾,就在你认为已经抓到他的时候,他已抽身逃走了。当他决心干一件事的时候,即使在光天化日之下亦无顾忌。

中国人认为春夏两季出生的属蛇人最为利害。冬天出生的属蛇人则安静而顺从,因为冬天是蛇冬眠的时间。在好天气出生的人比在坏天气出生的人更为快乐，并容易得到满足。

属蛇人是多情的恋人，他们的眼睛总是在暗送秋波。如果你只认为他们在恋爱，那就错了。由于他们对任何事都很敏感，在渴望做一笔油水很大的买卖时，眼睛里也会闪出同样的热情，就像他们初恋那样。

属蛇人通常过着动荡的、充满激情的和绞尽脑汁的生活，特别是那些爱出风头、争名夺利的人。

属蛇人最好的伙伴是可靠的属牛人，无所畏惧的属鸡人或属龙人。他同鼠、兔、羊、狗属相也能很好地合作。

但他应避开爱挑战的属虎人，属虎人不会明白他那明察秋毫的眼睛。爱冲动、难以对付的属马人只能与他结为一般关系。而聪明的猴子则会以狡猾向属蛇人挑战。两个属蛇人能在一起和平相处。猪与蛇这两个属相的人没有共同之处，蛇圆滑而老练，而猪却诚实，二者性情相反。

属蛇的儿童

属蛇的孩子性格复杂。他安静、机警、聪明，性情庄重，但很爱挑剔别人。他的生活由于忧郁而显得沉闷。他在学校里很用功，可能是老师的得意门生。他们常常以自己的迷人而骄傲，请记住不要过分宠他。当不如意时，他会板起脸来怀恨在心，并容易冲动。

尽管这些孩子生性斤斤计较，爱盘算，但他们很守纪律。他们的理想很实际，并能很容易地确立起来，你不会看到他们去争取根本得不到的东西。由于他始终如一、坚持不懈并很现实，所以能努力地工作直到把事做好为止。

除了天生的学习才能和很高的智商外，他还能够坚持自己的意见。他不会干涉别人的事情，并希望其他人也不要管闲事。由于非常小心谨慎，因此他知道怎样避开麻烦。他也许不太开朗，但却能获得永久的友谊。

这个孩子是个出色的领导者，因为他很有能力，并能用心地制订计划，而且他还能聪明而公正地行使权力，其他的孩子会尊重他、支持他。他很重名誉，为争第一可以不顾一切。有时他的行动是别有用心的。

他的天赋和才干使他拥有许多追随者，但同时他也是妒忌和恶语中伤的对象。他必须学会在批评中生活并准备着步入杰出人物行列。

他沉默寡言，总把痛苦隐藏在心里，并长期耿耿于怀。他常常被人误解，因为他拒绝或者不能恰当地为自己辩护。他与其他人的交往渠道有时不能很好的沟通。

无论在什么情况下，他都会自强不息。他很会用人，并知道怎样按自己的意志左右形势。他成名变富的渠道是畅通无阻的。

蛇年出生的人,取名宜有"艹"字,大吉,一生享福,富贵增荣;有"虫""鱼"字,智勇双全,精诚温和;有"木""禾""田""山"字,重义信用,学识渊博,成功隆昌,名利永在;有"金""玉"字,多才巧智,克己助人,良善积德;有"月""土"字,操守廉正,一门鼎盛;有"十"字,性刚或忧心劳神;有"石""刀""血""弓"字,不利家庭,晚婚迟得子大不吉,忌车怕水;有"火""亻""系"字,不利健康。

属蛇的人的五种类型

金蛇——1941年　2001年　2061年

这种人精于算计，头脑聪敏，并且意志很强。由于他辨别力很强，有慧眼识良机的本领，所以这种属蛇人诡计多端。这种人喜欢孤独，他能迅速而悄无声息地采取行动。在你毫无准备的情况下，他已牢固地站稳了脚跟。

金要素与他的属相结合使他喜欢过奢侈和安逸的生活。于是他会一生追求财富和权力。他心明眼亮、有远见并且勇于攀登高峰。

金蛇属相的人最能守口如瓶，很有心计，有自信心。他生性多疑，常常怀疑，并常存有不可告人的野心。

他具有玩弄权术和加强影响的能力，并存有嫉妒心，企图战胜对手，要么用和平的方式，要么使用卑劣手段，他从不承认失败。

他有强烈的占有欲，有时盛气凌人，有时又沉默寡言。他在早期就选定了生活的道路，并能坚持向前。

水蛇——1953年 2013年 2073年

像水能渗透任何障碍物一样，水年出生的属蛇人看问题较为深远，并很会使用迂回战术。

不可战胜的水蛇具有强烈的魅力和爱询问的性格。他机警、有商业头脑并重实利。这种人智力发达，精力集中，他漠视小问题而顾全大局，他从不会失去目标或脱离现实。

爱好艺术，博览群书，很有学问而且非常实际。他会用人也会理财，尽管在某些事情上会装出毫不在乎的样子，但实际上这种特殊类型的人早已把它记在心里，并有可能一生都耿耿于怀，伺机狠狠地进行报复。

木蛇——1905年 1965年 2025年

这是一种诚挚、聪明的属蛇人。他能预言事物的发展进程,特别能预言历史的发展进程。

他需要完全的思想自由,但对爱情却坚定、持久。这种属蛇人会很好地表达自己的思想,并可能成为一名雄辩的演说家。

他很风趣,会像灯塔一样闪烁,吸引他所期望的人来达到目标,而不是去追求他们。

他有挥霍的习惯并可能为自己的风度而骄傲。因为他需要人们羡慕和赞同,所以将竭尽全力取得一个又一个成功。

木蛇的消息很灵通,他不单纯是为收集信息,而是为了每天能够使用它。他判断力强、谨慎而敏锐,这会使他成为极好的投资商和鉴赏家。这是一个易受感动的人,非常喜欢音乐、戏剧及其他艺术。

火蛇——1917年 1977年 2037年

这是一个暴躁、专横的属蛇人。由于思想活跃,又很好动,他的行动强劲有力。在蛇那已经可观的性格上再加一把火,能使他具有伟大的号召力和超凡的魅力。他有信心和领导才能,如果他从事政治,人们会投他的赞同票。

尽管他会举行公开论坛来征求意见或评价多数人的观点,但他生性多疑,只能相信自己。他的行动太快使人无法指责。有时,还把自己与好友的劝告隔绝,因此他会毫无感觉地使自己孤立起来。他对名誉、金钱和权力有着极强的欲望,这使他坚持得到具体的、有形的结果。由于不妥协和不屈不挠,他总向最高的目标看齐。一旦他达到了顶峰,他会无限期地紧紧抓住权力不放。

这种人最敏感、最热情、最爱妒忌,因而表现出过分的爱或憎。这种人心中只有自己。

土蛇——1929年　1989年　2049年

这种属蛇人热情、潇洒,他对人的看法形成得很慢但很正确。由于有很强的原则性,这使他更可靠,他能与公众打成一片,并在集中活动中积极发挥作用。

由于高瞻远瞩,他雄心勃勃,能临危不惧、临阵不乱,他或她不会轻易被吓倒,而且不随波逐流。

总之,他是所有属蛇人中最仁慈的、最迷人的。由于他冷静、泰然自若而且很迷人,他会对朋友忠诚并会有大批支持者。

由于保守、节俭、工作努力并有条理,土蛇能在银行保险和不动产投资方面获得成功,并能量入为出。这是一个有自知之明的人,他会小心不使自己承担过多的义务。

属蛇人与时辰的对应关系

子时出生（鼠时辰）
——午夜 11 时至凌晨 1 时

这是一个满嘴甜言蜜语以讨人喜欢的人。

他可能是一个靠走歪门邪道致富的人。

他对一切都很伤感，

对金钱也是一样。

你我她

丑时出生（牛时辰）
——凌晨1时至3时

他那难以捉摸的性情和他的
魅力遮住了固执的脾气。
如他具有牛的耐力和意志，
将会更难以对付。

寅时出生(虎时辰)
——凌晨3时至5时

这是一个热情、
多变并充满怨恨的人,
这两个属相都疑心很重,
最好不要理会他的指责。

卯时出生（兔时辰）

——早晨 5 时至 7 时

这是一个老成、
谈笑风生的人，
但他给人的打击是致命的，
他从来没有做过倒霉的生意。

辰时出生（龙时辰）
——早晨 7 时至 9 时

这是一种有慈善心的人。

智慧与权力结合起来使他能进行真正、

持久的改革。

他对任何事物赞同与否，

态度明朗，

不留余地。

你我她

巳时出生（蛇时辰）

——上午 9 时至 11 时

有很强的占有欲，

高深莫测。

你永远也捉摸不透他，

也不必枉费心机。

当他找到所追求的目标时，

是不会放过的。

午时出生（马时辰）
——上午11时至下午1时

他是个快乐而幽默的人，

并能看到生活的光明面。

由于两个属相都感情强烈，

在他们中间可能会产生花花公子和浪荡女人。

你我

未时出生（羊时辰）
——下午1时至3时

这两个娇柔的属相结合会产生出一位具有完美鉴赏力的艺术家。而且他知道怎样维持他那奢华的兴趣，他狡猾的本性被羊可爱的性格所掩饰。

申时出生（猴时辰）

——下午3时至5时

这是一个精力充沛的、
令人难以想象和不可抵挡的天才人物。
智慧、魅力和洞察力集于一身，
以至达到了完美的程度使他立于不败之地。

酉时出生（鸡时辰）
——下午5时至7时

这是一个团伙头目类型的人物，
在装饰华丽的外表下，
刻着有象征绝对权力的标记。
他非常固执并很有学问。

戌时出生（狗时辰）
——晚7时至9时

他是个诚实的人，

具有狗那深信不疑的品质和高尚的道德。

他可能很有学问，

因为这两个属相都善于思考。

亥时出生（猪时辰）

——晚9时至11时

他是个真正懂得狂欢纵欲的人。

他很机敏，

在做生意时从不上当。

猪那天生的好性情使他很有信心。

属蛇人在其他生肖年中的运程

鼠　年

对属蛇人来说这是活跃的一年。
新观念和新机会将会出现，
他在生活道路上有所进展，
这一年将会发生戏剧性的事件，时好时坏。
他的收入会抵消损失。
一切问题会因友谊而得到解决。
在这一年里，他不应该借给别人钱，
也不要向别人借钱。

牛 年

适中的一年。
这一年他肯定会受到人们的挑战，
并且他在财政方面会出现失误，
遇到一些阻碍。
他那天生的谨慎和直觉都无济于事。
这一年适于大大方方地接人待物，
不要过分地固执己见，
否则会把事情弄复杂的。

你我她

虎 年

这一年有许多小事惹人生气，

他可能很容易被卷入冲突，

这些冲突都不是他本人引起的。

并且他会觉得很难使周围的人满意。

他必须保持幽默感，

不要采取毫无意义的复仇行为，

这样能避免大动乱并能得到他所需的帮助。

兔　年

尽管有许多事情使他很忙,

这一年对他来说还是相当快乐的。

但他不能尽情地与他所喜欢的人共度时光,

因为他要履行其诺言。

钱来得容易也失得痛快。

龙 年

困难的一年等待着他。

在生意和事业上都不会获得可观的收益。

他必须警惕那些对他嫉妒和言语中伤的同事。

麻烦到夏天结束,

冬天到来的时候他会收到好消息。

这一年应把住钱财,

避免挥霍。

蛇 年

这一年应遵守时间,不要突然变卦。
如果他打算不惹麻烦,
那么耐心和冷静是基本的条件。
这年生意上可能被人误解,
还会有一些带有浪漫色彩的事情发生,
也可能会受到一点轻伤。
但他会有些收获,要注意巩固自己的地位,
维护自己的统治。

马 年

属蛇人在这一年里是神气十足，
如果他想要实现他的全部理想，
他必须抑制感情，
不要匆忙。
一些未得到解决的问题和烦恼的事
会影响他的健康。
总之，今年他会获得令人羡慕的成绩，
困难是暂时的。

羊 年

这一年他可能得到休整。
不会有可观的收获,
但也不会遭受很大损失。
如果他利用这个时期结交一些有影响的朋友,
对他以后很有好处,
并且生活可能会平静悠闲。
家里有些坏消息或小麻烦。

你我

猴 年

这一年不错。

因为他能在最需要帮助的时候得到支持。

他也许会不情愿地卷入冲突,

但如果他不火上加油,

事情就会自然过去。

这些不利条件也许还会引起过度焦虑。

一定要保持中立或保守。

鸡 年

非常吉祥的一年。

他的成绩能大得惊人，

他将得到社会承认或被提升。

他的耐心和不屈不挠的精神会得到回报。

家庭生活愉快。

狗 年

好机会出现在他面前，

尽管他或许有些小病小灾或遭人抢劫。

这一年是提出新观点的极好时机，

并适于旅行或请客。

猪 年

这一年是紧张的一年,
各种因素混杂在一起。
尽管他用尽力气却收益很小。
他可能会遭受由判断失误引起的
财政上的不幸,
或被牵扯进法律案件。
他也许要与亲近的人分离。
这一年要三思而后行。

属蛇人生月趣解

生于正月

对生活中物质享受要求不高，衣着朴实无华，个性偏于保守，待人接物和蔼可亲。不足之处是六亲缘分不厚。

生于二月

为人聪明，刚强正直生性乐观，满腹经纶但不思进取，淡薄名利，凡事得过且过，享得清闲之福。有家庭幸福快乐，子女孝顺成才之命。

生于三月

开朗活泼对人亲切，笑容可掬，甚有吸引人之美丽。做事欠考虑，易受别人利用而作开路先锋，开辟前途之后功成身退，是拿得起放得下、晚景甚佳之人。

生于四月

伴君之臣，保驾之将。做人有侠义心肠，能真诚的对待朋友，得道多助，必有成功机会的。但一生之中，喜欢变换环境，家庭也不稳定，如果配偶不吉，便会有不如意的现象。

生于五月

是个胆大心细的人，做事可以把握机会，计划周详，且能贯穿始终，所以一生之中成功多失败少，但朋友间交往则并不容易有好的结果。

生于六月

万事如意，有大贵之福，慈祥和蔼，待人甚得人和，外缘很好，在朋友圈里是中心人物。但运气并不十分顺，时常遭受环境的困扰。夫妇和顺、幸福愉快。

生于七月

安享天禄、逍遥自在，虽有个性但亦受客观问题所左右，往往会改变原先制订的方案，以致功败垂成。幸有贤内助解了他很多不愉快的事，家庭较为幸福。

生于八月

是忠厚、传家、教友门第，为人忠厚待人而对己严，往往为别人而自讨苦吃，也满不在乎，是朋友都很称道的好人，事业应该是很成功的，天生富贵，坐享其成。福富有余。

生于九月

不能尽量发挥自身大好才华，常有英雄不得志之憾。幸而有很好的人际关系，生活康泰，家庭甚严谨。

生于十月

自身有点矮小，健康不算正常，若后天的修养不够，便为先天不足，学业晚成，待中年后才蒸蒸日上，越老越强，晚年很佳。

生于十一月

性格上喜爱走偏路，是投机市场的能手，碰上好运时一夜发达，无运气时一夜也可以失败，常过着不甚平稳的生活，但家庭有贤内助协理，很有福气。

生于十二月

是有风度的人，性格坦率，与人相处缘分极佳，外出也有贵人相助，工作易有表现，总是社会的中坚分子，也很乐意为大众效劳，口碑甚佳。可积存财富。

属蛇人生日趣解

生于初一

属上吉运，诸事顺通，一生喜事多见，命在吉神保之，尚无大碍。生时若占吉，一生将是福多寿多。

生于初二

男女皆占吉，聪明贤能，办事有才能，初显平平，一个阶段会破例，但不为重。生时不吉恐要夫妻反目，凡事宜谨慎。

生于初三

一生少乐，命带多劳，凡事多坎坷，兄弟无依，六亲少靠，命苦。若生时占吉，老景吉昌。晚福之命。

生于初四

男口舌多见.交友不利，易吃朋友亏，伤气破财，三十开始见运开。顺多逆少，身体强，女士善良，持家贤能，是旺夫益子之命。

生于初五

命带桃花，风流一生，但有因风流带来官司之灾，有口舌是非，一生喜事多多，轻松愉快，但有病难免。

生于初六

命运平平，喜忧参半，交友不利，时有心病，沉浮不定，成少败多，如能离祖外谋，名利可达，家成业就。

生于初七

如逢生时不占吉，将是桃花坐命，喜色多情，家庭不安，坎坷多见。生时若吉，事有转顺，否则，前途多难。

生于初八

喜忧各半，初岁不祥，恐有灾见，青年多劳，家庭不安，坎坷多见。生时若吉，事有转顺，否则，前途多难。

生于初九

一生是非多，坎坷多见，谋和顺少逆多，若不慎为，当有大破则非小，命苦也。

生于初十

男女皆吉，命带官星，有权有势，生意路广，财利丰厚，小人虽多，阴气不升，无关紧要，吉人天相，一生吉利。

生于十一

喜忧各半，日日东西，夜夜南北，时难归

家，遍身红鸳喜色多情，花街柳巷常有影。如生时占吉，财利多见，虽有小耗，此人平安之命。

生于十二

奔波四海，一生异乡，千里之外人物。但命非小福，财钱不缺，终后难归故里。

生于十三

男女多占桃化，红罗帐里有戏，鸳鸯风上林栖，一生风流快乐，如能在时辰上占吉数，下半生平稳，否则，老年多难。

生于十四

优劣各半，命途有难，微病时有；中年时转运，夫妻各借对方力，发家有望，衣食足用。

生于十五

有喜有忧，喜事业逐，取利不难、有兴旺。但命在桃花，恐因酒色混乱，时有空虚之感伤心晦气也。

生于十六

若生时不吉，无亲无友孤独一生，虎头蛇尾，一生不宁，生时逢吉，此格局可转变。

生于十七

男女皆吉，命带官星，官位非小，位列三台，出人头地，光宗耀祖，夫妻和合，钱财不缺。富贵之命。

生于十八

男女逢小吉，格外运高，逐事可行，财利多见。家内不是嫁娶就是添孙，真可谓吉门三级浪，中兴马四方。旺兴之命。

生于十九

喜忧各半，虽操劳辛苦，但福不薄，吃穿不愁。声望低，口舌难免，不慎为之会惹铁窗之苦。

生于二十

男女皆占吉运，好行万事遂心成，家业兴旺，财利存，子孙孝，名利浩大，远近闻名。成功之命。

生于二十一

男士之命有享祖上基业之福，得父母之恩惠，妻贤子孝，名利当收；女士命初显较顺，中年后坎坷多起，小毛病难有。

生于二十二

一生他乡为客,一寸千里,四海为家,中年财旺,晚年孤独,终后难归故里。

生于二十三

命在上吉,聪明伶俐,胆识人才,做事兴旺,一帆风顺,家成业就。

生于二十四

命带桃花运,花前月下常留影,言笑春风意外情,一生喜乐,钱则难聚。如生吉时,晚年兴能平稳,平平一生也。

生于二十五

命在多资,聪明贤能,男女皆是文理通达,读书上进连科学府,英杰人才,终能光荣成名,出人头地。

生于二十六

一生劳苦,能得祖业,并能中兴,女士贤惠勤劳,持家有成,子女不孤。有寿长年高之命。

生于二十七

一生危险重重,四处无助,不得贤妻扶助,女子无多,坎坷多见。

生于二十八

男士喜忧各半，财利多见，事得其亲，口舌多见，更防官灾；女士清秀，心直口快，人缘佳，助夫兴家，子女不缺。寿长之命。

生于二十九

男士天生桃花运，常居繁华之地，风流一生，钱财不聚，平庸一生；女命强男命，极多操心，中年后有福可享，子女孝顺。

生于三十

大为吉祥，事业高就，有一鸣惊人之势。享有祖荫，亲情和合，财运旺兴，衣食足用，一生荣兴自在。多福多寿之命。

属蛇人的姻缘

　　古人认为，寰形相克图（下图）两端直接对应的属相是排斥的。

天　　　　　　　　　　　　　地

和　　　　　　　　　　　　　谐

蛇+鼠

他们都有抱负、有雄心,谁也不会停止攀登。如果他们都有正确的态度,在谁居优势地位一事上取得一致的话,这会是个有益的婚姻。鼠太太善于交际、非常迷人、疼爱她那野心勃勃但内向的丈夫,尽管她所渴望的要比他所给予的多。他们都足智多谋、善于表现。他们应注意不受嫉妒心的影响,相互间不要保守秘密,能够这样,他们的婚姻就会获得成功。

蛇+牛

　　他们都谨小慎微，有选择能力，他们选择了这场结合是很好的决定。他们都脚踏实地，有自尊心，还有共同的信仰和动力。他顽强，工于心计，她受过良好的训练，做事很有条理，能够保护家庭的安宁。他们能在遭遇危险时互相依靠，他将从沉默寡言的牛太太那里感受到信赖，而她能靠他的坚韧来抵御一切不幸，他们能一起期待美好的生活。

蛇+虎

他们的生活将困难重重,烦乱不堪。两人都不能理解、容忍对方的弱点。他们都感情用事,非常多疑,在生活中无法真正做到相互信任。蛇丈夫精细、聪颖、坚定,虎太太活跃、不切实际、但能关心别人。自满自足的蛇厌恶她的不遵从惯例、容易激动和坦率直露。而她对他的遮遮掩掩、古怪孤僻和强烈的野心甚感不快。他们根本没有共同语言,也无法交流。

蛇+兔

他坚持兔太太是占支配地位的。有良好教养的她能够接受他的思维方式。他们同样孤傲,有同样讲究的偏好,他们能够浪漫而理智地共同弹奏出悦耳的乐曲。不过,这两种性格总的说来都不是乐于助人的,当他们尽量表现自我、满足一己欲望时,往往会相互忽略。蛇丈夫具有极强的占有欲,而兔太太则并不像他。兔太太宽容、现实,当蛇陷入工作中,或者没有对她非常关注时,她不会太介意,只要他能供养这个家庭,肯为一切花销付账,她就满足了。相对地说,这是一对平静的伴侣。

蛇+龙

  他很爱她,但占有欲强,性情复杂。她大方、坦白易受感动。他总是反复掂量自己的行动,她要想使自己的意见得到采纳,非得与他进行较量才行。这场婚姻会因一些摩擦受到影响。不过,龙太太内心是希望有个比她更聪明、更有支配力的丈夫。蛇丈夫虽然只能为这场婚姻的巩固提供最起码的东西,但他还是赞赏龙太太的雄心和热情。如果双方下定决心,他们能把生活一浪一浪地推向前进,能建立一个有益的、有建设性的家庭。

蛇+蛇

　　有共同点，能够相通，特别是当他们为同一目标而奋斗的时候。他们并不过分地相互依恋，因为他们都能独立思考，他们能够不屈不挠地、坚韧地为获取权力和成就而奋斗，共同的雄心使他们走到一起。如果没有嫉妒心的妨碍，他们能共同取得很大成功。

蛇+马

　　他们对生活的看法并不相同。蛇是谨慎、顽强、意志坚定的,具有长远的目标。马敢于冒险,活泼易动,性情急躁。她更关心的是眼前的享乐,他却始终如一地奔向自己的目标。她容易冲动,善于应变,但他能持久。他认为她不负责任,不能坚持,而她嫌恶他的严肃、冷静和多思。这不是非常满意的组合。

蛇+羊

仅仅在某种程度上能够相合。精力充沛的蛇丈夫全神贯注于他所选择的目标上,不喜欢羊太太没完没了地依恋他。他现实、讲求实效,是个成功者,而她是多愁善感、温柔驯服的。蛇把大量时间精力投入自己的事业中,羊则任性,遇到挫折便十分沮丧。他非常理智,她却感情用事。一旦遇到什么事,他们便会发现,弥补两人间的裂痕是非常困难的。

蛇+猴

不能和睦相处。两人间常有意志和智力的较量。他们都工于心计,竞争性强,猴太太很容易激得蛇先生发火,他则念念不忘,一定要寻机报复。她善于投机,感情迟钝,常常向他挑战。而他是劲头十足、随心所欲。他们将以激烈的斗争来决定谁占上风。他们谁也不能从这样的婚姻中获得好处。

蛇+鸡

他们都精于算计，很有头脑，是周密计划的行动者。他们想要的是银行的权利和金钱，而决不愿与卑微贫穷的人们来往、交友。她讲究实效，善于持家，他是她每一场交易的幕后智囊。他们做着同样的获取声望和钱财的梦。他镇定，能够弥补鸡太太的杂乱无章和偏执，最终的决定总是靠他那天生的智慧做出的。

蛇+狗

　　他的权力欲极强,行动时冷静、深思熟虑。她是温柔、忠诚而美丽的。他们会互相赞美。但她有自己的原则,只有在这个原则之内她才会给予他支持。他为达到目的是不择手段的。他们都很自信,但若发现他行为不够正直时同样会反感或抵触,在和解之后他会酬谢她,但又不明白她内心何以这样敏感。她不是重实利的人,不能理解他对财富和权力的强烈迷恋。不同的生活态度会阻碍他们关系的进一步密切。

蛇+猪

蛇先生是持之以恒、很有决断力和意志力的,而猪夫人悠闲懒散,为人随和。她这种放任的态度使他怀疑她不能理解他和他的事业。他城府很深,颇为世故,她简单、天真,对人深信不疑。他认为她在不道德的事情面前的那种顾虑重重是毫无必要的,她的善良也毫无用处,除非那后面隐藏有某种动机。她无法理解他复杂多疑的性格。他对她的亲切和真诚敬而远之,冷漠处之,将使她感到受伤害。他们截然相反的性格将使他们的结合毫无幸福可言。

鼠+蛇

两人都有占有欲,都很现实,所以能找出对方的优点来对双方的关系进行必要的调节。鼠丈夫很看重蛇太太的明朗和坚韧,蛇太太也认为鼠丈夫有不凡的抱负和聪慧,很适宜与他共建家庭。他可能更有变通能力,更潇洒,她则是谨慎的。他可以依赖她那种觉察危险的敏锐能力,她则为鼠丈夫的热诚而深深感动,并以同样的热情回报。

牛+蛇

　　幸福美满白头偕老的一对。牛丈夫要求高标准的成功，蛇太太有着同样的野心和对实利的需要。她赏识他提供给她的舒适与奢华，他喜欢她的彬彬有礼和体面，以及非常善于理财。他们能够从对方的关系中幸福地获得满足，她是力量的源泉，而他则使她感到骄傲和喜悦。

虎+蛇

两人都喜欢探询对方的动机,总是注意对方的消极面。聪明实际的蛇太太会发现她明智的行动目标与虎丈夫的完全相反。虎丈夫认为她嫉妒心、占有欲都太强,而且过于冷静。她不能理解他得不到爱的心情。在理财方面她是个悍妇,他却大方、挥霍。他们难于相处。

兔+蛇

如果他们能使对方的优点得到发扬的话,将是非常合适的一对。他很有潜力,想象力丰富、老练;她能下定获得成功的决心并促使他向着物质方面的目标努力。他们同样趣味高雅,天生喜欢追求悠闲和完美,但蛇太太对于兔丈夫表达爱情的方式未免过于热心与苛求。从坏的方面说,他们都冷静、善于思索,能从各种方面使矛盾变得尖锐,甚至使婚姻破裂。

龙+蛇

如果能把他们相异的个性调整合适的话,他们能建立起令双方都得到满足和鼓舞的关系。他活动能力极强,易专横跋扈;她享乐至上,追求舒适,从容不迫。他总是准备去奋斗,去取得成就,她将自己的坚韧和判断力灌输给他。在具体问题上,她往往比他更精明,至少能更好地掌握家庭的收支。他们能够为家庭建立起稳定可靠的基础。

马+蛇

他们的婚姻未必靠得住。两人都是才思敏捷的、现实的。但他有时心猿意马,渴求自由和变化,她对此颇为反感,因他的轻率和以自我为中心而愤愤不平。她很有决断力,胸有城府,且趣味高雅,不能适应他那强烈的嗜好。蛇太太认为马丈夫那些嗜好并无价值。如果两人相结合,双方必须都是无私的。

羊+蛇

这桩婚姻不是纯粹的田园诗。但如果双方诚心诚意地努力,事情会妥当的。两人都很务实,对创新和美的事物能够接受。这些方面会维系这个结合。然而,羊丈夫缺少工于心计的蛇太太的意志力,而她总是守口如瓶,对羊丈夫的敏感天性不信任。她很会算计,他容易激动,受创造艺术倾向的引导。他们在一些方面相互责备,另一些方面又相互效仿,蛇太太的果断将是羊丈夫所依赖的珍贵资本。

猴+蛇

　　两人都倾向把双方的毛病夸大。他可爱、开朗、能干，而她好胜、老于世故。他们总的立场无疑是相同的，但仍不免互相非难，有时还互相敌对，因为他们天生有嫉妒和多疑的性格。双方都要更加坦诚、直率才能感到相处的舒适。

鸡+蛇

充满活力、勇敢无畏的鸡丈夫将给蛇太太严肃的人生观涂上一层亮色调,并成为她的精神支柱。这是双方都有益的结合。他们都有知识,但水准不同。她安详、深思、审慎,他却总是凭着热忱和无所顾忌的乐观而超负荷运转。这两人的结合给了他们相互补充和抵消过火之处的机会。

你我她

狗+蛇

丈夫头脑冷静、思想开放，但仍为妻子的巧言所迷惑。她十分敬慕他才气过人，但她更神往锦衣玉食的生活，这一点超出了丈夫的忍让程度。他们缺乏相互之间的了解，甚至完全摸不透对方的心思，但当他们中的一个能够理解对方，他们仍能和谐地生活。

猪+蛇

　　情致高雅的妻子不能容忍猪丈夫的俗气。他感到她太复杂、太神秘,而她对于头脑简单、易轻信的丈夫来说的确是深奥莫测的,难于理解。她不允许丈夫无节制的纵欲,这无疑使他冷漠无情。沉默寡言的妻子那安静和深思熟虑的态度常使他狼狈不堪。两人都将痛苦,双方的优良品质也得不到珍惜。

吉祥四季 平安一生

春 夏 秋 冬

【生于春】吉祥方位：西方、西北方
吉祥颜色：白色、灰色、黄色
吉祥饰品：铜锣、金丝眼镜、金表
吉祥密码：酉、申、巳、丑、庚、辛
吉祥行业：从事与"金"相关的行业

【生于夏】吉祥方位：北方、东北方
吉祥颜色：蓝色、黑色、白色
吉祥饰品：孔子铜像、金链、蓝田玉、金笔
吉祥密码：子、丑、申、辰、亥
吉祥行业：从事与"水"相关的行业

【生于秋】吉祥方位：东方、东南方
吉祥颜色：绿色、黑色
吉祥饰品：木鱼、木佛珠、绿宝石、灵芝、竹板平安、人参王
吉祥密码：甲、乙、寅、卯、亥
吉祥行业：从事与"木"相关的行业

【生于冬】吉祥方位：南方、西南方
吉祥颜色：红色、紫色、黄色
吉祥饰品：红木用品、打火机、太阳画、牡丹花、玩具猫、骏马图
吉祥密码：午、寅、戌、巳、未
吉祥行业：从事与"火"相关的行业

风水博物馆

阆中风水博物馆是目前国内唯一以建筑风水为主题的人文旅游景点,分为博物、祭祀、吉祥物、风水讲堂、天一茶舍、三才书吧、青年旅舍等七个功能区。风水馆以易·卜为主脉,诠释神秘的中国风水。

千年风水古城,玄机尽藏馆中。